EL BARCO  DE VAPOR

El gigante pequeño

Andrés Guerrero

Primera edición: julio 2004
Segunda edición: mayo 2005

Dirección editorial: Elsa Aguiar
Colección dirigida por Marinella Terzi

Impresores, 15
Urbanización Prado del Espino
28660 Boadilla del Monte (Madrid)

ISBN: 84-348-6135-6
Depósito legal: M-14589-2005
Impreso en España / *Printed in Spain*
Imprenta: Orymu, SA - Ruiz de Alda, 1 - Pinto (Madrid)

Para Mercedes
“Un día publicaré un libro como este...”

Todos conocemos cuentos de gigantes.

Hay cuentos de gigantes buenos
o de gigantes malos...
Gigantes que comen niños
y otros que son egoístas.

Pero este es un cuento distinto.
Porque no trata de un gigante gigante,
sino de un gigante... ¡pequeño!

Y, por eso,
porque no parecía un gigante,
tenía un montón de problemas.

La vida de un gigante pequeño
no es fácil.

Por ejemplo, su castillo.
¡Era un castillo gigante!
Y todo le venía grande:

la cama,

las ventanas,

los escalones...
Hasta la llave de la puerta
era una llave gigante.

Los gigantes gigantes se reían de él.

Y si tú pudieras conocerlo,
tampoco creerías
que era un gigante.

¡Era tan pequeño!

Tan pequeño que no podía
hacer las cosas
que normalmente hacen los gigantes.
No podía cruzar el río de un salto.

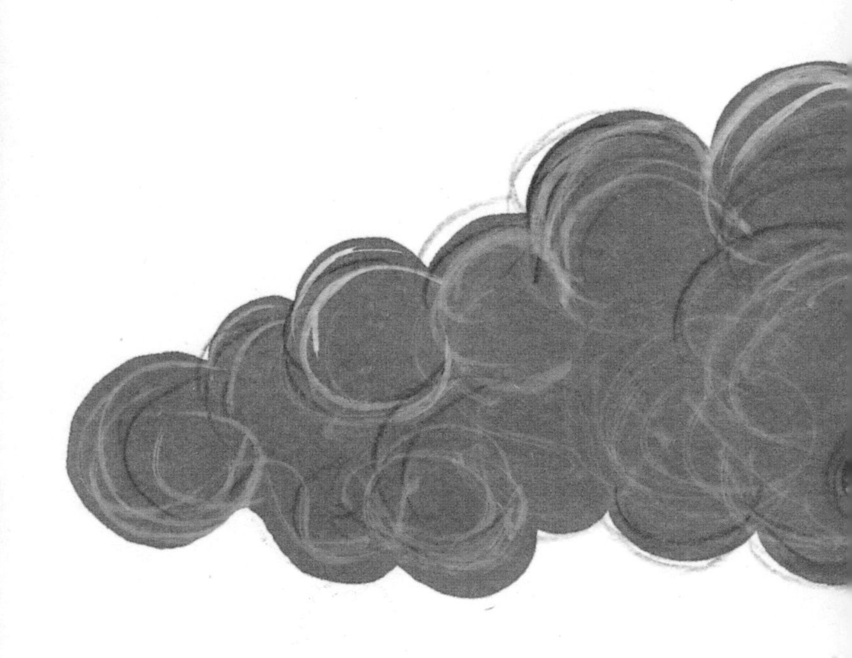

No podía oler las nubes
cuando pasaban bajas.

No podía mirar el sol
por encima de los árboles.

Ni tan siquiera podía usar las botas
de siete leguas,
famosas entre los gigantes.
Las de Pulgarcito.
¡Eran demasiado grandes!

Así, por todas estas cosas
y por muchas más,
un buen día,
el gigante pequeño se cansó de ser
un gigante pequeño
y decidió dejar el país de los gigantes.
Guardó todas sus pequeñas cosas
en una mochila
y dejó la llave del castillo
a un gigante primo suyo.

—Cuídame el castillo,
por favor.
Si dentro de siete años
no he vuelto,
será tuyo.

Y tras decir esto,
se puso en marcha.

En su viaje cruzó
montañas cubiertas de nieve,
ríos profundos,
hermosos y verdes valles
y seis o siete mares.
Hasta llegar al país de los pequeños.

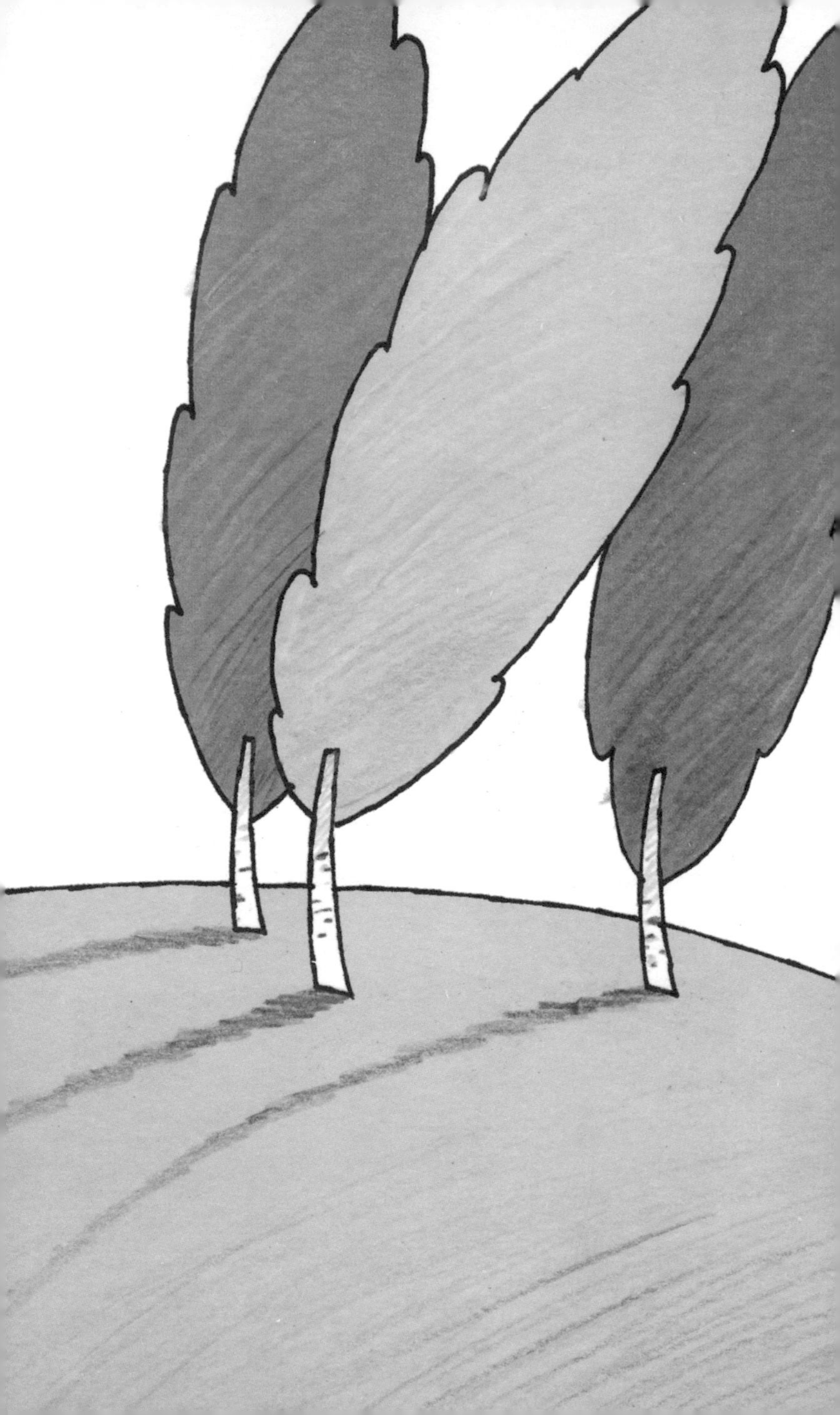

¡Qué alegría!
¡Allí sí parecía un gigante!
Podía saltar las montañas,
cruzar los ríos de un solo salto,

hacerse un sombrero con las nubes
–¡era todo tan pequeño!–

y lo más bonito:
podía juntar la lluvia con el sol
para hacer un arco iris.

Son las cosas que les gusta hacer
a los gigantes,
y por eso se sintió feliz,
y lo fue durante varios años.

En esos años,
el gigante se comportó muy bien
con la gente del país de los pequeños.

Los ayudó muchas veces
a cruzar los ríos
cuando era difícil,
a quitar la nieve en los fríos inviernos...
y a todas esas cosas a las que ayudan
los gigantes cuando son amables.

Solo algunas veces,
y como una broma,
asustó a algún cazador perdido
por el bosque.
No le gustaba la caza.

Cuando ya se había acostumbrado
a vivir como un gigante,
y disfrutaba siéndolo,
empezó a sentirse solo.
No sabía muy bien por qué.

Tenía amigos,
pero él era muy grande
y ellos muy pequeños.
Había cosas que un gigante
no podía hacer
en el país de los pequeños.
No podía sentarse al calor del fuego
dentro de las casas,
no podía jugar a esconderse.

Era tan grande
que siempre le encontraban.
Y, sobre todo, no encontró a nadie
a quien poder abrazar
cuando estaba triste.

A menudo paseaba solitario...
Y los paseos que dan los gigantes son
enormes,
a veces duran semanas.

Un día, por casualidad,
encontró un pueblo pequeño,
muy pequeño,
oculto detrás de unas altas montañas.

En él vivía una chica
con un gran problema.
Había crecido tanto
que no parecía una persona pequeña.
De hecho, parecía un gigante.
Además, como el pueblo
era tan pequeño,
ser tan grande
suponía un montón de problemas.
Sin darse cuenta
pisaba un puente y...
¡otra vez a construirlo!

Para alimentarse necesitaba
ella sola tanta comida
como todo el pueblo junto.
Y por si fuera poco,
como no cabía en ningún sitio,
tenía que dormir en cualquier prado.

La gente del pueblo intentaba
ayudarla,
pero ella no quería ser tan grande.
No podía sentarse al calor del fuego
dentro de las casas,
no podía jugar a esconderse,
siempre la encontraban,
y sobre todo no tenía a nadie
a quien poder abrazar
cuando estaba triste.

A menudo
la pequeña que parecía un gigante
lloraba sentada sobre una montaña.

Allí la encontró el gigante pequeño.
De los ojos de ella,
tristes y grises,
brotaba un mar de lágrimas.

El gigante tomó sus manos.
Los dos se sorprendieron.
Nunca antes habían estado
con alguien de su mismo tamaño.
Apenas hablaron,
no hacía falta.
Se miraron a los ojos
como se mira la gente
cuando se quiere.
Los dos se encontraban muy solos.

Decidieron comenzar juntos
una nueva vida
y se fueron cruzando todos los valles,
ríos y montañas
que encontraron a su paso.

Ah, y dos o tres mares.

Llegaron al país de la gente corriente.
¡Allí eran como todo el mundo!
Tenían la misma estatura
que el resto de la gente,
–más o menos–.

Al principio los miraron
extrañados,
pero era por la ropa.
Parecía que venían
de una fiesta de disfraces.
Entraron por primera vez
en una tienda
y encontraron un montón
de ropa a su medida.

Fueron al parque de atracciones
y montaron en las barcas,
y en los sillones que dan vueltas;
se marearon,
pero solo un poco.

Jugaron un partido de fútbol
con más gente
y Violeta,
que así se llamaba la chica
de los ojos grises,
metió un gol.

Y montaron en una bicicleta
–era un tándem de dos plazas–
y se desternillaron de risa.
Hicieron las mismas cosas
que les gusta hacer a la gente corriente.

Por la noche fueron al cine.
Nunca habían ido.
Se sentaron en unas cómodas butacas
y vieron una película de fantasmas.

En ese momento,
el gigante recordó
que tenía un castillo,
y que habían pasado más de siete años.

No le importó.

Por primera vez en su vida
tenía a su lado
a alguien con quien ser feliz.

Acurrucados en sus butacas,
se apretaron las manos con cariño.

Así acaba este cuento.
Si lo fueron toda la vida...
es otra historia que os contaré otro día.

Fin

¿QUIERES LEER MÁS?

SI TE GUSTA **EL GIGANTE PEQUEÑO** PORQUE HABLA DE LO NECESARIO QUE ES VIVIR EN COMPAÑÍA PARA SER FELIZ, TAMBIÉN TE GUSTARÁ **EL FANTASMA DE PALACIO**, que cuenta lo triste que se encontraba el pequeño fantasma en su palacio hasta que un día aparecieron Balduino, su gata y su perro, y las cosas empezaron a mejorar.

EL FANTASMA DE PALACIO
Mira Lobe
EL BARCO DE VAPOR, SERIE BLANCA, N.º 5

SI LOS LIBROS DE GIGANTES "PEQUEÑOS" TE PARECEN MUY DIVERTIDOS, NO DEJES DE LEER **LOS ENANOS DE MANTUA**, la historia de unos enanos que lucharon por conseguir una vida mejor para así sentirse como verdaderos gigantes.

LOS ENANOS DE MANTUA
Gianni Rodari
EL BARCO DE VAPOR, SERIE BLANCA, N.º 12